LE FAR WEST

Conception
Émilie BEAUMONT

Auteur
Cathy FRANCO

Illustrations
M.I.A. : A. BALDANZI

FLEURUS

GROUPE FLEURUS, 15-27, rue Moussorgski 75018 PARIS
www.editionsfleurus.com

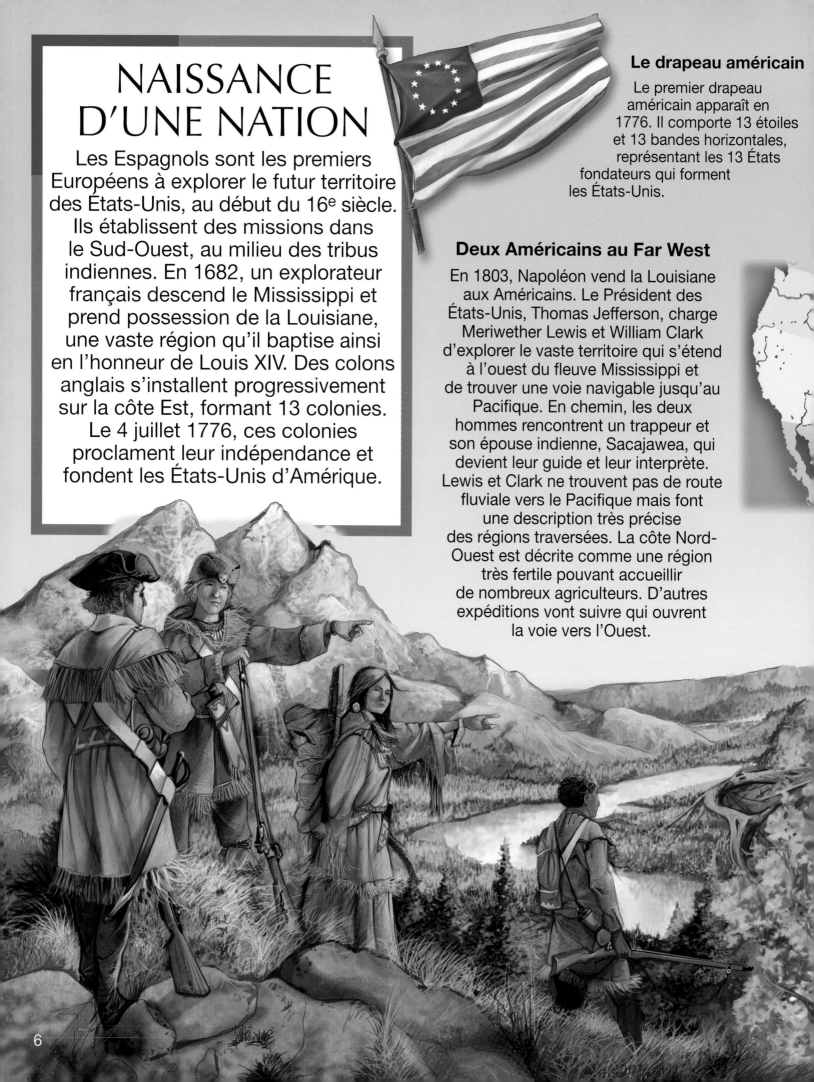

NAISSANCE D'UNE NATION

Les Espagnols sont les premiers Européens à explorer le futur territoire des États-Unis, au début du 16e siècle. Ils établissent des missions dans le Sud-Ouest, au milieu des tribus indiennes. En 1682, un explorateur français descend le Mississippi et prend possession de la Louisiane, une vaste région qu'il baptise ainsi en l'honneur de Louis XIV. Des colons anglais s'installent progressivement sur la côte Est, formant 13 colonies. Le 4 juillet 1776, ces colonies proclament leur indépendance et fondent les États-Unis d'Amérique.

Le drapeau américain

Le premier drapeau américain apparaît en 1776. Il comporte 13 étoiles et 13 bandes horizontales, représentant les 13 États fondateurs qui forment les États-Unis.

Deux Américains au Far West

En 1803, Napoléon vend la Louisiane aux Américains. Le Président des États-Unis, Thomas Jefferson, charge Meriwether Lewis et William Clark d'explorer le vaste territoire qui s'étend à l'ouest du fleuve Mississippi et de trouver une voie navigable jusqu'au Pacifique. En chemin, les deux hommes rencontrent un trappeur et son épouse indienne, Sacajawea, qui devient leur guide et leur interprète. Lewis et Clark ne trouvent pas de route fluviale vers le Pacifique mais font une description très précise des régions traversées. La côte Nord-Ouest est décrite comme une région très fertile pouvant accueillir de nombreux agriculteurs. D'autres expéditions vont suivre qui ouvrent la voie vers l'Ouest.

L'expansion du territoire

Après l'achat de la Louisiane en 1803, les États-Unis étendent leur territoire jusqu'au Pacifique. Ils négocient un traité avec les Anglais pour obtenir l'Orégon en 1846 et gagnent une guerre contre le Mexique en 1848, qui leur cède une bonne partie des régions du Sud-Ouest. Au milieu du 19e siècle, tout le pays est américain.

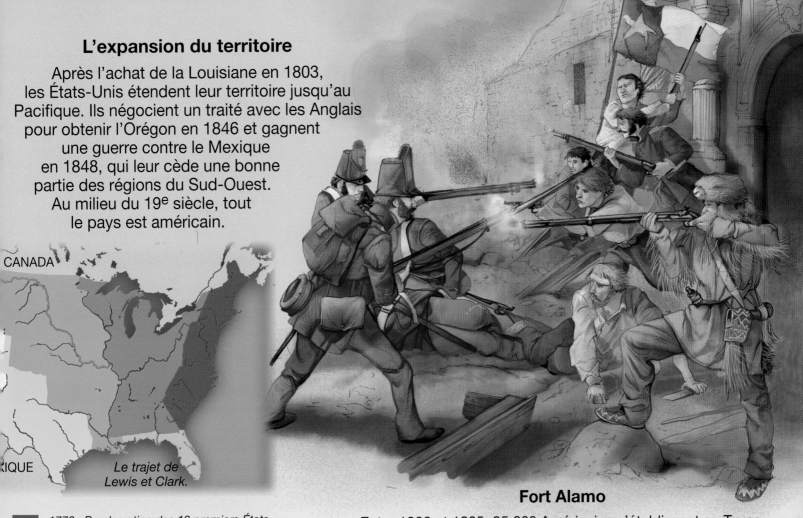

CANADA

MEXIQUE

Le trajet de Lewis et Clark.

1776 : Proclamation des 13 premiers États.
1783 : Territoires cédés par la Grande-Bretagne.
1803 : Achat de la Louisiane à la France.
1819 : Achat de la Floride à l'Espagne.
1845 : Annexion du Texas.
1846 : Accord sur l'Oregon conquis aux Anglais.
1848 : Territoires cédés par le Mexique.
1853 : Territoires achetés au Mexique.

Fort Alamo

Entre 1820 et 1835, 35 000 Américains s'établissent au Texas, qui fait alors partie du Mexique. Très vite, des désaccords les opposent au gouvernement mexicain. Des conflits éclatent. En février 1836, les Mexicains attaquent la mission fortifiée de Fort Alamo où 187 Américains se sont retranchés (ci-dessus). Tous sont massacrés, y compris le célèbre trappeur et homme politique, David Crockett. Les Américains prennent leur revanche lors de la bataille de San Jacinto quelques semaines plus tard. Le Texas devient indépendant en 1838.

L'expérience des trappeurs

Les trappeurs chassent le castor dont la fourrure intéresse les chapeliers d'Europe mais aussi de l'est des États-Unis, où affluent de nombreux immigrants européens. Vivant en bonne entente avec les communautés indiennes, les trappeurs s'aventurent dans les endroits les plus inexplorés du Far West (l'Ouest lointain), ouvrant des pistes aux futurs pionniers. Ils mènent une vie rude, affrontant les terribles blizzards hivernaux. Ils habitent des cabanes en rondins et posent des pièges (ci-dessous) dans les rivières où les castors construisent des barrages. Ils deviendront les meilleurs guides pour aller vers l'Ouest.

LA TERRE DES INDIENS

Les Amérindiens sont les premiers habitants des États-Unis. Ils sont probablement venus d'Asie il y a 30 000 ans par le détroit de Béring et se sont dispersés sur le continent américain, développant suivant les régions des modes de vie très différents. Au début du 19e siècle, plusieurs centaines de tribus se répartissent sur le territoire nord-américain. Elles devront petit à petit abandonner leurs terres aux colons et seront refoulées dans des réserves. Les Indiens qui luttent pour leur liberté seront pourchassés impitoyablement (voir pp. 26/27).

Kwakiult
Blackfoot
Cree
Mohegan
Iroquois
Crow
Mandan
Nez-percé
Sioux
Hopi
Pueblos
Cherokee
Cheyenne
Osage
Seminole
Apache
Comanche

Des modes de vie variés

De nombreuses tribus nomades (Sioux, Cheyennes, Comanches, Apaches) vivaient de la chasse, en particulier celle du bison. Dans les montagnes Rocheuses, les Nez-Percés pratiquaient l'élevage. Les Indiens de la côte Nord-Ouest habitaient dans des villages bâtis au bord du rivage. Ils pêchaient le saumon et chassaient la baleine. Dans le Sud-Ouest, les Hopis et les Pueblos cultivaient la terre. Plus à l'est, les Cherokees vivaient dans des villages pourvus d'une école et avaient inventé leur propre alphabet.

Les tipis étaient faits de peaux de bison tendues sur des mâts.

D
C
A
B

Différents types d'habitations

Les Indiens des plaines, essentiellement nomades, vivaient dans des tipis (A). Les maisons des Pueblos du Sud-Ouest (B) étaient faites de briques de terre séchées au soleil. Elles s'empilaient les unes sur les autres, formant de grands ensembles entourés de terres cultivées. La hutte en terre mandan (C) était très spacieuse et pouvait héberger 30 à 40 personnes. La cabane iroquoise (D) était très longue et étroite. Douze familles pouvaient y vivre !

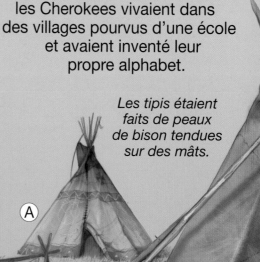

La chasse au bison

Les Indiens des plaines dépendaient entièrement du bison. Il leur fournissait la nourriture et les matières premières pour se vêtir et s'abriter (peau), se chauffer (excréments), s'éclairer (graisse), fabriquer des outils, des armes, des parures (os et cornes) ou bien des cordes (nerfs). Ils suivaient les troupeaux dans leurs déplacements saisonniers.

Une chasse au bison demandait beaucoup de courage et d'agilité. Il fallait éviter d'être désarçonné et piétiné par l'animal dont le poids atteint 900 kg !

Le monde des esprits

Les Indiens croyaient au monde des esprits. Lors de cérémonies rituelles, le sorcier de la tribu tentait de maintenir l'harmonie entre les esprits et les humains par des offrandes, des danses et des chants. En cas de sécheresse, on lui demandait d'invoquer la pluie. Appelé aussi homme-médecine, il soignait les maladies par la magie et par les plantes.

Les totems

Les Indiens de la côte Nord-Ouest vivaient en sociétés divisées en trois classes : les nobles, les esclaves et les autres membres de la tribu. Devant les maisons des nobles se dressait un magnifique totem qui racontait leur histoire et celle de leurs ancêtres (ci-contre à droite). D'autres Indiens sculptaient des totems moins élaborés. La plupart étaient censés éloigner les mauvais esprits, certains marquaient l'emplacement d'une tombe.

Sorcier de la tribu des Tachi Yokuts de Californie exécutant une danse rituelle.

9

DES CHARIOTS VERS L'OUEST

Vers 1840, l'est des États-Unis est surpeuplé et le prix des terres est très élevé. C'est le début de la grande migration vers l'Ouest, cette contrée sauvage qui s'étend sur plus de 3 000 km, du Mississippi jusqu'au Pacifique. La majorité des pionniers sont des agriculteurs en quête de terres fertiles. Par milliers, ils partent en longs convois de chariots bâchés, empruntant des pistes ouvertes avant eux par les trappeurs et les explorateurs. Délaissées dans un premier temps, les grandes plaines du centre ne sont colonisées que vers 1860.

Des pionniers sur les pistes

Certaines pistes sont très fréquentées car elles mènent vers des régions particulièrement fertiles. La Californie séduit ainsi des milliers de fermiers, bien avant que l'on y découvre de l'or. Mais les trajets sont souvent longs : pour se rendre dans l'Oregon, il faut effectuer un voyage de six mois environ, au rythme de 20 à 30 km par jour ! Un convoi comporte 30 à 100 chariots tirés par des chevaux ou des bœufs. Pour maintenir l'ordre et organiser le convoi, un chef est élu. Il est accompagné d'un guide, souvent un ancien trappeur, qui connaît la route et ses embûches.

Les pistes sont si mauvaises que souvent les roues se cassent. Il faut les réparer, ce qui ralentit le convoi.

Le bivouac

Le soir, les chariots sont disposés en cercle au sein duquel les familles se sentent à l'abri. Tandis que des hommes montent la garde et que d'autres réparent le matériel ou se reposent, les enfants vont chercher du bois pour le feu et les femmes préparent le repas. Les soirées se terminent généralement par une veillée pendant laquelle on danse et on chante au son du violon et du banjo.

La peur des Indiens
Les pionniers ont peur des Indiens. Pourtant, ils attaquent rarement les convois. Souvent même, ils aident les familles à traverser les rivières ou leur indiquent des points d'eau. Parfois, il faut juste négocier avec eux (de la poudre pour les armes, par exemple) afin d'obtenir l'autorisation de traverser leurs territoires.

La compagnie des charrettes-à-bras

C'est le nom donné aux pionniers mormons, une communauté qui part vers l'Ouest pour pratiquer sa religion en paix. Les mormons tirent en effet eux-mêmes leurs charrettes car ils n'ont pas assez d'argent pour acheter des chariots attelés. Ils suivent une piste de 2 000 km qui les mène dans la région de l'Utah, où ils décident de s'installer. Le plus grand de leurs convois comptait 3 000 personnes et 655 charrettes !

Il faut partir suffisamment tôt dans l'année pour arriver à destination avant l'hiver. En 1846, un convoi s'est trouvé bloqué par la neige dans la Sierra Nevada, à plus de la moitié du parcours. Beaucoup des voyageurs sont morts de faim ou de froid, d'autres ont été contraints de manger leurs compagnons morts pour survivre !

Le parcours est semé d'embûches : traversées de cours d'eau, rapides, chaleur étouffante, tempêtes de poussière, incendies de prairie, pluies rendant les pistes impraticables... Mais ce sont les épidémies (diphtérie, choléra) qui causent le plus de décès. De nombreuses tombes jalonnent les pistes de l'Ouest.

LA RUÉE VERS L'OR

Le 24 janvier 1848, un charpentier aperçoit de petits cailloux qui brillent dans le lit d'une rivière de la Californie. Il vient de découvrir de l'or ! La nouvelle se répand comme une traînée de poudre. En un an, elle fait le tour du monde et attire des dizaines de milliers d'émigrants. Fascinés par le précieux métal, ils quittent emploi, maison, famille. En quelques mois, le paisible village de San Francisco se transforme en une ville grouillante dépassant 40 000 habitants. La Californie devient la région la plus riche des États-Unis.

« Ceux de 49 »

On appelle ainsi les prospecteurs arrivés en Californie en 1849, année durant laquelle la ruée vers l'or bat son plein. Européens, Chinois, Péruviens, Mexicains, Chiliens affluent. À leur arrivée, il leur suffit de délimiter une parcelle de terrain qu'ils font enregistrer sur des registres pour avoir le droit de l'exploiter pendant une certaine période. Au bureau de change, ils font peser les pépites d'or et les paillettes récoltées. En 1850, l'or se fait plus rare. Une taxe est imposée aux prospecteurs qui ne sont pas américains pour les chasser des mines.

Comment recueillir l'or ?

Les prospecteurs peuvent extraire l'or des rivières à l'aide d'une batée (1) ou d'un berceau (2). Pour trouver de l'or dans les collines, ils utilisent la pioche. Le sluice (3) est un long canal incliné dans lequel la terre extraite de la mine, entraînée par un faible courant d'eau, est lavée. Les particules d'or les plus grosses sont retenues par des barres transversales. Les pépites et les paillettes viennent s'incruster dans de la toile de jute disposée sur le fond du sluice. Cette toile sera brûlée pour recueillir l'or.

Le sable puisé au fond de la rivière est lavé dans la batée. En secouant celle-ci d'un mouvement circulaire, le prospecteur expulse le sable et fait apparaître les grains d'or, plus lourds.

Le berceau est une sorte de tamis pour laver les boues.

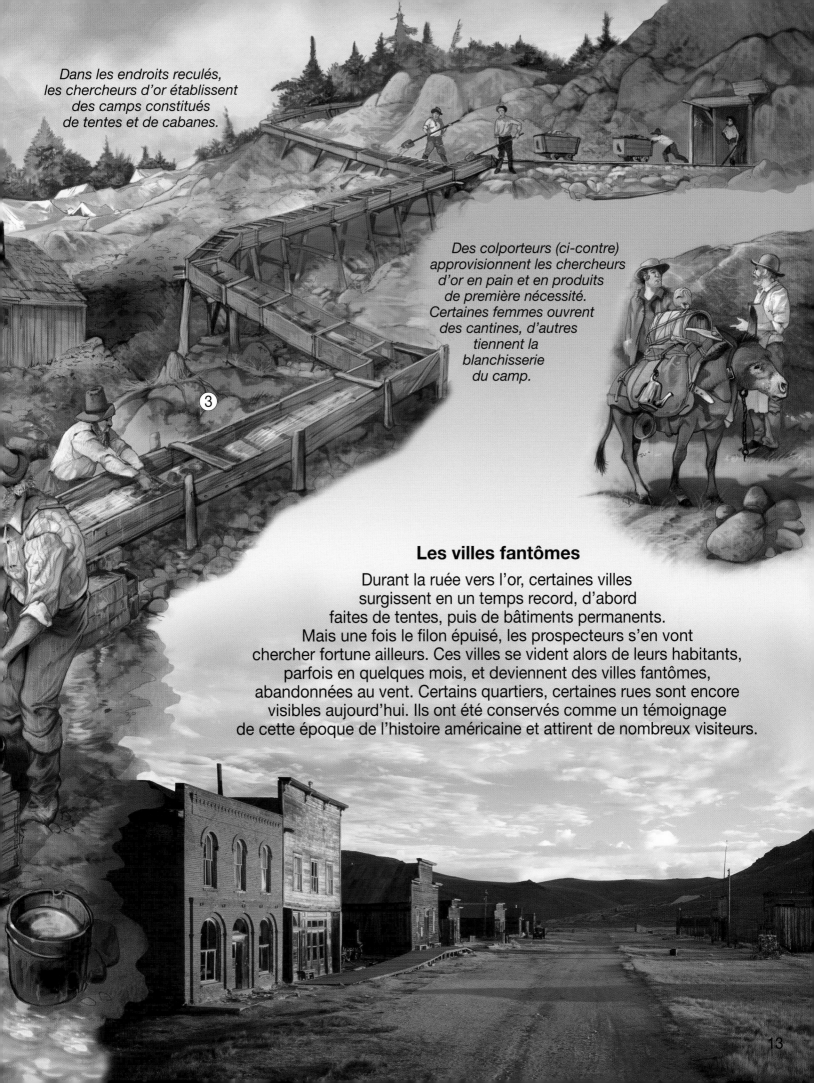

Dans les endroits reculés, les chercheurs d'or établissent des camps constitués de tentes et de cabanes.

③

Des colporteurs (ci-contre) approvisionnent les chercheurs d'or en pain et en produits de première nécessité. Certaines femmes ouvrent des cantines, d'autres tiennent la blanchisserie du camp.

Les villes fantômes

Durant la ruée vers l'or, certaines villes surgissent en un temps record, d'abord faites de tentes, puis de bâtiments permanents. Mais une fois le filon épuisé, les prospecteurs s'en vont chercher fortune ailleurs. Ces villes se vident alors de leurs habitants, parfois en quelques mois, et deviennent des villes fantômes, abandonnées au vent. Certains quartiers, certaines rues sont encore visibles aujourd'hui. Ils ont été conservés comme un témoignage de cette époque de l'histoire américaine et attirent de nombreux visiteurs.

L'INSTALLATION DES PIONNIERS

Arrivés sur les terres de l'Ouest, les pionniers choisissent un lot de terrain, le défrichent et construisent une maison avec les matériaux disponibles (bois, terre...). Dans les grandes plaines, les fermes sont très espacées et loin de tout. Le voyage à la ville, distante parfois de 150 km, permet de faire des rencontres et de connaître les dernières nouvelles. Une ville naissante ne comporte que quelques boutiques pour fournir les pionniers. Peu à peu, d'autres bâtiments viennent s'aligner le long d'une rue principale qui devient le cœur d'une communauté.

Devenir propriétaire

Le gouvernement américain a bien du mal à contrôler l'implantation des colons dans l'Ouest. Parvenus au bout de leur voyage, ces derniers s'approprient souvent une parcelle de terre en plantant simplement des piquets sans aucune autorisation. En 1841, une loi leur permet de devenir propriétaire légalement pour une somme modique. En 1862, pour encourager la colonisation des grandes plaines du centre du pays, délaissées jusqu'alors, le Congrès américain vote une loi (le *Homestead Act*) qui accorde 64 hectares de terre au fermier qui les exploitera pendant cinq ans. Cette offre séduit de nombreuses familles venues de l'est du pays mais aussi d'Europe (Allemagne et Scandinavie).

Les rues ne sont pas pavées. L'été, la circulation soulève des nuages de poussière. À l'inverse, quand il pleut, les passants qui traversent pataugent dans la boue. Heureusement, les trottoirs sont surélevés.

Une ville de l'Ouest

Les villes ne se développent pas au hasard. On les trouve aux carrefours de pistes, le long des rivières, là où il y a de l'or... D'autres suivent la progression du chemin de fer dans l'Ouest, s'installant le long des voies ferrées. Dans ces villes dont les bâtiments sont en bois, les incendies sont fréquents. La rue principale, souvent la seule, est très large pour permettre aux chariots et aux diligences de manœuvrer. On y trouve divers commerces, dont l'incontournable magasin général qui vend de tout (du café aux munitions), un hôtel, une banque, des pensions bon marché, des saloons. Plus la ville grandit, plus les services se diversifient. On construit une poste, une école, un bureau pour le shérif, un tribunal, des églises, un théâtre.

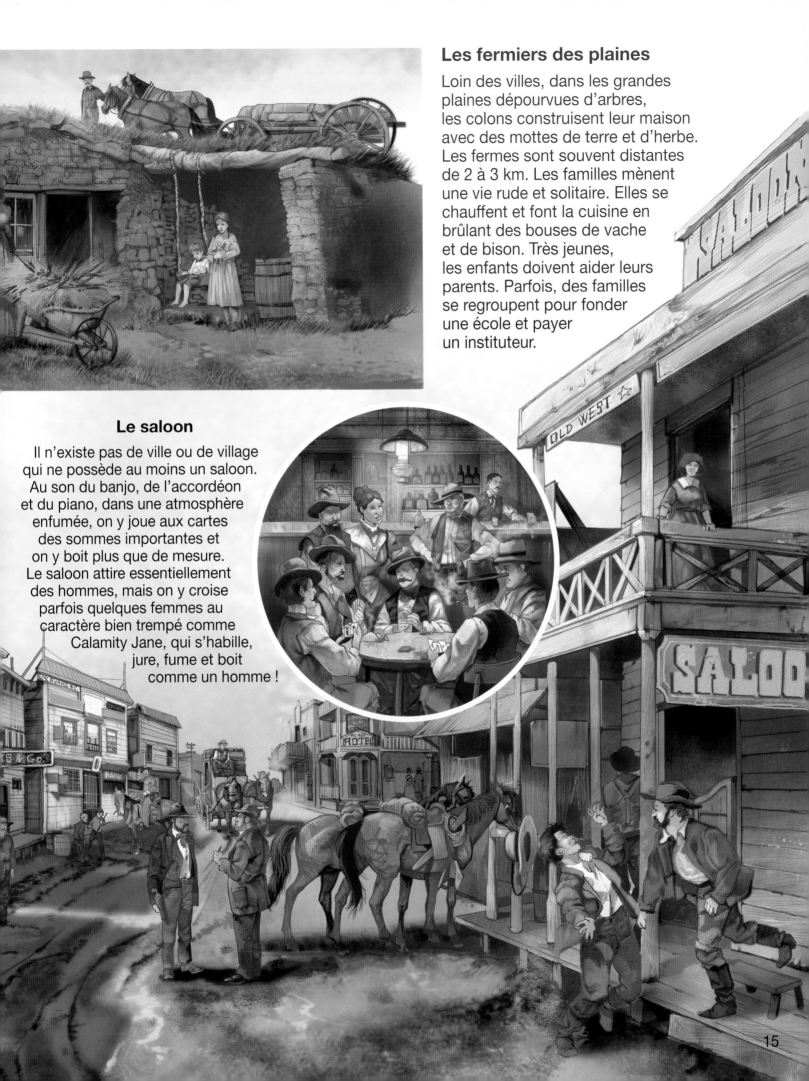

Les fermiers des plaines

Loin des villes, dans les grandes plaines dépourvues d'arbres, les colons construisent leur maison avec des mottes de terre et d'herbe. Les fermes sont souvent distantes de 2 à 3 km. Les familles mènent une vie rude et solitaire. Elles se chauffent et font la cuisine en brûlant des bouses de vache et de bison. Très jeunes, les enfants doivent aider leurs parents. Parfois, des familles se regroupent pour fonder une école et payer un instituteur.

Le saloon

Il n'existe pas de ville ou de village qui ne possède au moins un saloon. Au son du banjo, de l'accordéon et du piano, dans une atmosphère enfumée, on y joue aux cartes des sommes importantes et on y boit plus que de mesure. Le saloon attire essentiellement des hommes, mais on y croise parfois quelques femmes au caractère bien trempé comme Calamity Jane, qui s'habille, jure, fume et boit comme un homme !

CIRCULER ET COMMUNIQUER

À mesure que la colonisation avance, il importe d'améliorer les communications entre les États de l'Est et la côte Ouest des États-Unis, isolée de tout. Jusqu'à la mise en service du train Transcontinental, en 1869, qui relie les deux extrémités du continent, les marchandises empruntent essentiellement la voie terrestre, dans des chariots, ou la voie maritime, par le cap Horn (en contournant toute l'Amérique du Sud, ce qui met trois mois !). Dès 1858, la diligence conquiert l'Ouest, transportant courrier et passagers.

La diligence

Tirée par 4 à 6 chevaux, elle peut transporter jusqu'à 21 personnes, dont les moins fortunées voyagent sur le toit. Ses grandes roues lui permettent de traverser des rivières. Le voyage à travers l'Ouest dure seulement 23 jours mais il est très inconfortable. Lorsque le véhicule doit descendre une forte pente, on attache un tronc d'arbre à l'arrière pour le freiner ! Un garde armé accompagne le cocher. Sous son siège se trouve un coffre contenant le courrier et les objets de valeur.

Des facteurs à cheval

En 1860, un service plus rapide que la diligence est inventé pour le transport du courrier : le Pony Express. Il est assuré par des cavaliers. Chacun transporte 9 kg de courrier au grand galop. Le trajet est jalonné de stations où le messager change de monture et repart à toute allure. Au bout de 120 km environ, il passe le relais à un autre cavalier. Le courrier ne met plus que 10 jours pour traverser l'Ouest !

Le Pony Express cesse au bout de 18 mois avec l'installation de la première ligne télégraphique, appelée « fil qui parle » par les Indiens.

Le chemin de fer

En 1862, on décide la construction d'un chemin de fer reliant le réseau ferré de l'est du pays à la côte pacifique, sur 3 200 km. Deux entreprises relèvent le défi. La Central Pacific, qui part de Sacramento sur la côte Ouest, emploie 15 000 ouvriers chinois qui acceptent de travailler dans des conditions difficiles et dangereuses. Beaucoup se tueront en tentant d'ouvrir des passages à travers les Rocheuses à l'aide d'un explosif puissant : la nitroglycérine. L'Union Pacific, qui part d'Omaha (coté Est), recrute des Américains et de nombreux Irlandais. Le 10 mai 1869, les deux lignes se rejoignent à Promontary Point, dans l'Utah.

Un chantier colossal

Quinze tunnels sont percés dans la montagne. L'un d'eux mobilise plusieurs milliers d'ouvriers pendant un an ! Des ponts suspendus, qui peuvent atteindre 300 m de long, enjambent les vallées et les cours d'eau ! Les ouvriers suivent le tracé délimité par des ingénieurs. Ils posent les traverses de bois, puis les rails, placés sur un wagon que pousse devant elle une locomotive. Jusqu'à 17 km de rails peuvent être posés en une seule journée ! Le soir, les ouvriers exténués s'entassent dans des camps de tentes ou de cabanes. Dans les plaines, ils subissent souvent les attaques des Indiens qui voient leur mode de vie menacé par le « cheval de fer » (le train). En effet, cette machine traverse leur territoire de chasse.

En 1869, le Transcontinental rallie la côte atlantique à celle du Pacifique en seulement 6 jours !

LA LOI ET L'ORDRE

Dans les premiers temps de la colonisation de l'Ouest, les forces de l'ordre sont insuffisantes. Lorsqu'un bandit est arrêté, il faut souvent faire appel à un juge itinérant qui peut mettre plusieurs semaines à arriver. Ce n'est que lorsqu'une ville prospère qu'elle peut engager un shérif, un policier payé par les habitants, et se doter d'un tribunal. Le marshal est un policier fédéral (payé par le gouvernement). Il exerce son autorité dans une ville ou sur tout le territoire des États-Unis.

Shérifs et marshals

Ce sont des tireurs hors pair et tous ne sont pas des anges. Certains ont été des bandits avant de défendre la loi. Qu'importe, quand il s'agit d'impressionner les violents et d'assurer la tranquillité des villes ! Le plus célèbre shérif de l'époque est Wild Bill Hickok. Excellent tireur, il porte deux colts qu'il utilise en tir croisé. Redouté de tous et craignant pour sa personne, il dort avec ses colts sous son oreiller et recouvre chaque soir le sol de sa chambre de papier journal, de manière à ce que le moindre piétinement puisse le réveiller. Il sera abattu dans le dos lors d'une partie de poker.

Les hors-la-loi

Beaucoup sont restés célèbres. On raconte que Billy the Kid (en anglais Billy *le gosse*) tua 21 hommes avant d'être abattu par le shérif Pat Garett à l'âge de 21 ans. Les frères Frank et Jesse James, avec leur bande de hors-la-loi, furent les plus grands braqueurs de banques de l'Ouest. Robert Leroy Parker, surnommé Butch Cassidy (Cassidy *le boucher*), et son célèbre gang, la « horde sauvage », firent parler d'eux par leurs attaques de train. Avant de piller les banques et les diligences, trois des frères Dalton furent de respectables marshals !

Les banques sont l'une des cibles favorites des bandits de l'Ouest.

Les comités de vigilants

Ce sont des groupes de citoyens armés qui se réunissent pour pallier l'insuffisance des forces de l'ordre. Ils organisent des patrouilles régulières. Les personnes arrêtées sont punies sans aucun jugement ! Celles qui commettent de petits délits (trouble à l'ordre public par exemple) sont souvent expulsées de la ville. Pour les délits les plus graves (dont le vol de bétail), une seule sentence : la pendaison.

Durant la conquête de l'Ouest, les comités de vigilants exécutent plus de 500 personnes, parfois des innocents. Les pendaisons, appelées « parties de cravate », sont rendues publiques pour « montrer l'exemple ».

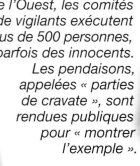

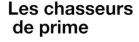

Les chasseurs de prime

De belles primes sont offertes à tous ceux qui se sentent capables de capturer les hors-la-loi et de les livrer aux forces de l'ordre, morts ou vifs. Elles sont généralement payées par les sociétés victimes de ces hors-la-loi : compagnies de diligence, de chemin de fer, banques... Des chasseurs de primes se lancent alors sur les traces des bandits. Tenaces, prêts à tout, ils les traquent jour et nuit. Les hors-la-loi les craignent bien plus que les forces de l'ordre !

Sur cette photo, le juge Roy Bean, assis sur un tonneau, est en train de juger un homme que ses compagnons attendent à côté, à cheval.

Un juge original

Roy Bean a 60 ans lorsqu'il se proclame juge de paix. Il connaît certes un peu la loi, mais prononce d'étranges verdicts selon des critères qui ne tiennent qu'à lui. Qu'importe, les citoyens de Langtry, petite ville de l'ouest du Texas, près de la rivière Pecos, lui accordent leur confiance. Son saloon lui sert de tribunal. Il exerce pendant près de vingt ans.

LES COW-BOYS

Au Texas, à partir des années 1860, des Américains font fortune en élevant d'immenses troupeaux de bétail qui alimentent les grandes villes de l'est des États-Unis. Ils engagent des garçons vachers, cow-boys en anglais, pour s'occuper des animaux. Une fois par an, les cow-boys effectuent un trajet d'environ 1 000 km pour mener les troupeaux jusqu'à une gare d'embarquement d'où ils partent vers l'abattoir. Peu de Blancs acceptent ce travail épuisant et mal payé. Ce sont souvent des fils de fermiers pauvres. Ainsi, plus de la moitié des cow-boys sont noirs ou mexicains.

Le *round-up*

Au printemps, les cow-boys rassemblent les bœufs éparpillés parfois sur des centaines de km^2 pour former un troupeau de 1 000 à 3 000 bêtes qui sera conduit jusqu'à une tête de ligne de chemin de fer. Ce rassemblement est appelé *round-up*, il dure plusieurs semaines. Les jeunes veaux nés dans l'année sont capturés au lasso pour être marqués au fer rouge au signe du ranch. Pour les Mexicains, ce grand rassemblement de printemps était appelé le rodéo (de l'espagnol *rodear* : encercler). Depuis, le rodéo est devenu un divertissement au cours duquel les cow-boys montent des chevaux sauvages et se défient au lasso.

Un troupeau s'étire souvent sur plusieurs kilomètres.

Sur la piste

Il faut entre trois et quatre mois pour convoyer un troupeau jusqu'à la ligne de chemin de fer la plus proche. On compte un cow-boy pour 250 bêtes. Les hommes sont à cheval de l'aube au crépuscule (jusqu'à 14 heures par jour !). Il ne faut pas trop presser les bêtes, car elles ne doivent pas maigrir, mais leur imposer un rythme suffisamment soutenu pour qu'elles dorment la nuit.

Le ranch

C'est la propriété de l'éleveur.
Il comporte l'habitation du propriétaire,
les logements des cow-boys (de simples
dortoirs sans confort), des étables,
des enclos et des pâturages. Au début,
les pâturages sont délimités par des
frontières naturelles, comme des rivières
par exemple. L'invention du fil barbelé
en 1874 morcelle les pistes empruntées
par les cow-boys et les empêche parfois
d'accéder aux points d'eau. La construction
de réseaux secondaires de voies ferrées
met définitivement fin aux grands
convois de troupeaux.

*Attraper un bœuf au lasso est
un art qui s'apprend par la
pratique. Galopant auprès
de l'animal, le cow-boy déploie
sa corde en la faisant tourner
puis lance la boucle autour
des cornes du bœuf.*

Dangers et réconfort

Les cow-boys rencontrent rarement des problèmes
avec les Indiens. Parfois, ils leur offrent une bête
pour pouvoir traverser leur territoire. Leur plus
grande peur, c'est le *stampede*, ce mouvement
de panique qui s'empare du troupeau, provoqué
souvent par un bruit violent (un coup de tonnerre,
un coup de feu...). Il faut alors essayer de
contenir le troupeau en chevauchant autour
de lui, tout en rétrécissant le cercle jusqu'à
ce que les animaux ne puissent plus bouger.
Heureusement, les cow-boys vivent aussi
de bons moments, souvent partagés autour
des repas préparés par le cuisinier dans
son chariot-cuisine (ci-contre). Ils aiment
aussi chanter ; le soir, auprès du feu,
ils entonnent de longues ballades qui
racontent leur quotidien, ils fredonnent
également des berceuses
pour calmer les bêtes.

LES SOLDATS DE L'OUEST

Dès 1840, le gouvernement américain établit un réseau de forts le long des pistes empruntées par les pionniers pour protéger leurs convois et surveiller les Indiens. Avec le temps et les colons qui affluent dans l'Ouest, l'armée doit combattre les Indiens qui défendent leurs territoires de chasse et refusent de se rendre dans des réserves. Les forts se multiplient. Outre la protection des colons, les soldats de l'Ouest assurent aussi la construction des routes et approvisionnent les réserves d'Indiens.

Le recrutement

Beaucoup de jeunes gens sans travail rejoignent les forts de l'Ouest ; ils veulent changer de vie ou encore échapper à la loi pour ceux qui ont commis des délits. La seule condition exigée est d'être en bonne forme physique. La durée minimale de l'engagement est de 5 ans. Mais les conditions de vie sont difficiles : les hommes ont des poux, des puces et même la gale, ils mangent mal car les aliments périssent vite et les fruits manquent. Surtout, les soldats souffrent de l'isolement les forts étant loin de tout. Plus d'un tiers d'entre eux désertent !

Infanterie, artillerie, cavalerie

Chaque régiment possède ses propres insignes. L'artillerie, trop peu mobile, n'est utilisée que dans les grandes batailles pour seconder l'infanterie (les soldats à pied) et la cavalerie (les soldats à cheval). Les Indiens surnomment les soldats de la cavalerie les « longs couteaux » car ils portent un sabre à leur ceinture, utilisé pour le combat au corps à corps.

1. Un soldat de l'infanterie
2. Artilleurs armant un canon

Le fort de l'Ouest

Construit en bois ou en terre selon les régions, il est entouré d'une muraille ou d'une palissade dotée de tours de guet. Au centre se trouve le terrain de manœuvres où s'entraînent les soldats. Les bâtiments comprennent les appartements des officiers, les dortoirs des soldats, des écuries, une armurerie, un magasin où l'on trouve diverses marchandises, les ateliers du cordonnier, du charpentier, du forgeron. Certains forts sont des haltes pour les caravanes de pionniers qui en profitent pour se reposer, réparer les chariots, ferrer les bêtes...

La cavalerie est l'arme la plus efficace pour patrouiller dans les immenses étendues de l'Ouest.

Détail d'un tableau du peintre américain F. Remington.

23

Sur la piste des Indiens

Méprisés, chassés de leurs territoires (voir pages 26/27), les Indiens se révoltent et sont pourchassés sans répit par l'armée. D'importants détachements militaires sont chargés de les traquer et de les combattre. La cavalerie précède toujours l'infanterie, elle-même suivie d'un fourgon ambulancier et de chariots remplis de munitions, de vivres et d'eau. Ainsi, les soldats peuvent manger et boire tous les jours, tandis que les Indiens, constamment harcelés, ne peuvent plus chasser pour se nourrir et subvenir aux besoins de leur famille.

L'aigle pygargue à tête blanche est l'emblème des États-Unis depuis 1782.

L'éclaireur guide les soldats sur les traces des Indiens rebelles. De l'herbe écrasée, une empreinte, le vol des oiseaux sont autant d'indices qui l'aident à repérer l'ennemi ou à suivre ses traces.

Buffalo Bill, une légende du Far West

Cavalier pour le Pony Express (voir p.16), chasseur de bisons, d'où son surnom de Buffalo Bill (« buffalo » signifie bison en anglais), William Frederick Cody fut aussi l'un des plus célèbres éclaireurs au service de l'armée. Dans les années 1880, il monte un spectacle sur l'épopée du Far West. Le public y découvre la vie des pionniers et des cow-boys. Le spectacle remporte un franc succès.

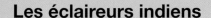

Les éclaireurs indiens

Pour traquer un Indien, rien de tel qu'un autre Indien. L'armée le sait. Elle recherche et recrute donc des éclaireurs indiens parmi les tribus ennemies de ceux qu'elle pourchasse. Connaissant le terrain, les coutumes de leurs adversaires, leurs réactions, ils se révèlent d'une redoutable efficacité. Ils savent en outre soigner avec les plantes et connaissent les remèdes contre les morsures de serpent, ce qui est parfois d'un grand secours pour les soldats.

Pour communiquer entre eux sur de grandes distances, les Indiens allument un feu sur une hauteur et font s'échapper des signaux de fumée qui correspondent à une sorte de langage codé. Pour ce faire, ils couvrent et découvrent la fumée selon un rythme précis à l'aide d'une couverture. Ces signaux sont parfois déchiffrés par les éclaireurs.

Au combat

Les Indiens sont de très bons guerriers qui connaissent parfaitement le terrain et ses moindres caches. Ils attaquent souvent par surprise et en nombre. Ils se servent de flèches, de tomahawks (sorte de haches utilisées pour le combat au corps à corps) et apprennent à se servir des fusils pris aux Blancs. Ce sont d'excellents cavaliers qui montent à cheval dès leur plus jeune âge. Ils peuvent galoper sans selle et décocher une dizaine de flèches en direction d'un soldat avant que celui-ci ait eu le temps de recharger son fusil !

LA RÉSISTANCE INDIENNE

Devant l'afflux des colons, les Indiens sont forcés d'abandonner leurs terres et déportés dans des réserves. Durant la conquête de l'Ouest, de nombreuses tribus se soulèvent pour conserver leur liberté. Elles sont impitoyablement pourchassées par l'armée. Le massacre de 300 Sioux à Woundeed Knee Creek, dans le Dakota du Sud, en 1890, marque la fin de la résistance indienne. À la fin du 19e siècle, les Indiens survivent parqués dans des réserves. Aujourd'hui, ils sont près de 3 millions dont 1/3 vit dans des réserves où ils tentent de préserver leurs coutumes.

La déportation des Indiens

Les Indiens sont envoyés dans des réserves situées souvent loin de leur terre natale où ils survivent dans la pauvreté et la famine car elles sont souvent trop petites ou trop arides pour y chasser ou y faire des cultures. On les force à renier leur religion, leurs coutumes. Ci-dessous, l'armée escorte 15 000 Cherokees dans l'Oklahoma à 1 600 km de chez eux, durant l'hiver 1838. 4 000 d'entre eux meurent pendant le trajet qui porte désormais le nom de « Piste des Larmes »

Les guerres des plaines

Les Indiens des plaines voient leur mode de vie menacé par les colons qui investissent leurs territoires de chasse et déciment les troupeaux de bisons, essentiels à leur survie. De nombreuses tribus s'allient pour combattre l'armée, qui lance contre ces dernières des campagnes sanglantes. En 1876, le colonel George A. Custer décide d'attaquer un important campement indien sur les rives de la rivière Little Bighorn, dans le Montana. L'homme, qui rêve de gloire, désobéit aux ordres qui l'obligent à attendre du renfort. Mal lui en prend. Custer et les 285 hommes de son bataillon se retrouvent encerclés par 2 500 Indiens et sont tués. C'est la plus grande défaite de l'armée américaine.

La longue marche des Nez-Percés

Les Nez-Percés vivent dans le nord-ouest des États-Unis. En 1877, le gouvernement les somme de rejoindre une réserve. Leur chef, Chef Joseph, refuse et décide de fuir. Avec 250 guerriers, 500 femmes et enfants et 2 000 chevaux, il tente de gagner le Canada. Durant 106 jours, une armée de 2 000 hommes les poursuit sans relâche. Malheureusement, les Nez-Percés sont rattrapés, à moins de 60 km de la frontière !

Le chef apache Geronimo lutta contre l'armée pendant près de 30 ans. Il finit dans une réserve, loin de la terre de ses ancêtres.

Après avoir parcouru 2 200 km avec sa tribu des Nez-Percés, Chef Joseph est contraint de se rendre.

La résistance apache

Les Apaches rassemblent plusieurs tribus vivant dans le sud-ouest des États-Unis. L'armée a beaucoup de mal à les combattre. Profitant des nombreuses caches que leur offre leur environnement, ils sont insaisissables et tendent aux soldats de multiples embuscades. Il faut parfois près de 1 000 soldats pour venir à bout d'une bande de 50 Apaches ! Les Apaches sont les derniers Indiens à se rendre. Sans l'aide d'éclaireurs apaches appartenant à des bandes rivales, l'armée ne serait jamais venue à bout de leur résistance.

TABLE DES MATIÈRES

*Nous tenons à remercier pour son aimable collaboration Annick Foucrier,
professeur à l'université Paris 1 - Panthéon - Sorbonne et directrice
du CRHNA (Centre de recherches d'histoire nord-américaine).*

ISBN : 978. 2. 215. 08743. 4
© Éditions FLEURUS, 2007.
Dépôt légal à la date de parution.
Conforme à la loi n°49-956 du 16 juillet 1949
sur les publications destinées à la jeunesse.
Imprimé en Italie.